c o l l e c t i o n

Romans jeunesse

Éditions HRW

Groupe Éducalivres inc.
955, rue Bergar
Laval (Québec) H7L 4Z6
Téléphone : (514) 334-8466
Télécopieur : (514) 334-8387
Internet : http://www.educalivres.com

Déjà parus dans cette collection :

N° 1 La mystérieuse madame Biscuit
N° 2 Le secret d'Opus Kulle
N° 3 Philippe et son inséparable Dorgé
N° 4 Le génie des perséides
N° 5 Des céréales pas ordinaires
N° 6 Valérien, le petit ogre végétarien
N° 7 Mon fantôme préféré
N° 8 Vénus en autobus
N° 9 La forêt des Matatouis
N° 10 L'armoire aux trois miroirs
N° 11 Jupiter en hélicoptère
N° 12 David au pays de Mario
le Grimpeur

La forêt des Matatouis

▼

Nadya Larouche

La forêt des Matatouis
Larouche, Nadya
Collection L'Heure Plaisir Coucou

Directeur de la collection : Yves Lizotte
Illustrations originales : Steve Huard

ISBN 0-03-927690-2
Dépôt légal – 1er trimestre 1997
Bibliothèque nationale du Québec, 1997
Bibliothèque nationale du Canada, 1997

Imprimé au Canada
1 2 3 4 H 6 5 4 3 2 1 0 9 8 7

Table des chapitres

▼

Liste des personnages de ce récit

▼

Au besoin, consulte cette liste pour retrouver l'identité d'un personnage.

Personnage principal :

Martin
un gentil garçon de sept ans, ami des animaux et narrateur de ce récit.

Personnages secondaires :

Le père de Martin

Billy
le chien de Martin.

Germazut
le chef des Matatouis.

Bittur
un Matatoui.

Galliante
un autre Matatoui.

Houclink
le Matatoui malade.

Pergalith
l'aîné des Matatouis.

Chapitre 1

Un arbre tombe...

– Voilà, dit papa d'un ton satisfait. Ce gros sapin fera l'affaire. Qu'en penses-tu, Martin ?

Je rejette la tête en arrière, pour mieux voir. C'est qu'on n'est pas très grand, à sept ans.

– Il est énorme, fais-je, impressionné.

– J'aurai suffisamment de bois pour terminer ta cabane. Tu pourras jouer dedans dès demain.

Mon père ébouriffe mes cheveux blonds de la main. Moi, je souris à pleines dents. Je vais enfin avoir ma cabane !

Papa me fait signe de m'éloigner de l'arbre. Je recule et je m'assois sur un tapis de mousse.

Mon père cale ses protège-oreilles sur sa tête. Il ramasse sa scie mécanique et tire la corde de démarrage. Le moteur rugit aussitôt.

La lame de l'outil attaque l'écorce rugueuse. Du bran de scie éclabousse les vêtements de papa. L'entaille s'étend bientôt d'un côté à l'autre.

L'arbre bouge un peu. C'est le signal qu'attendait mon père. Il arrête le moteur de la scie. Puis il pousse le tronc du pied.

Un craquement se fait entendre. L'immense sapin s'incline. Ses branches supérieures s'accrochent dans les autres arbres. Puis son propre poids l'entraîne. Il tombe...

Soudain, une longue plainte jaillit du ciel. Une plainte à faire dresser les cheveux sur la tête...

Chapitre 2

Vert sur vert

Nous sommes de retour chez nous. Mon père travaille depuis une bonne demi-heure à la construction de ma cabane. Il dépose tout à coup son rabot sur le chevalet.

– Ouf ! s'exclame-t-il. Quelle chaleur ! Vivement une bonne limonade !

Papa s'engouffre dans la maison. Moi, je reste derrière à fixer les épluchures de sapin, distrait. Je pense encore au bruit étrange que j'ai entendu tantôt près de l'arbre.

Mon chien Billy se met subitement à japper. Il poursuit un écureuil jusqu'à l'orée du bois.

Je me lance à ses trousses.

– Billy ! Reviens ici tout de suite !

Je m'arrête à l'entrée de la forêt silencieuse. Billy est assis au pied d'un érable. Il attend que l'écureuil descende.

Je le gronde doucement.

– C'est mal d'effrayer ces petites bêtes, Billy. Laisse-les tranquilles.

Tout à coup, j'entends un drôle de bruissement. On dirait le vent entre les branches. Sauf que, aujourd'hui, il n'y a pas de vent.

Billy dresse les oreilles. Puis il écrase son nez fouineur au sol.

– Tu as entendu quelque chose, toi aussi, Billy ?

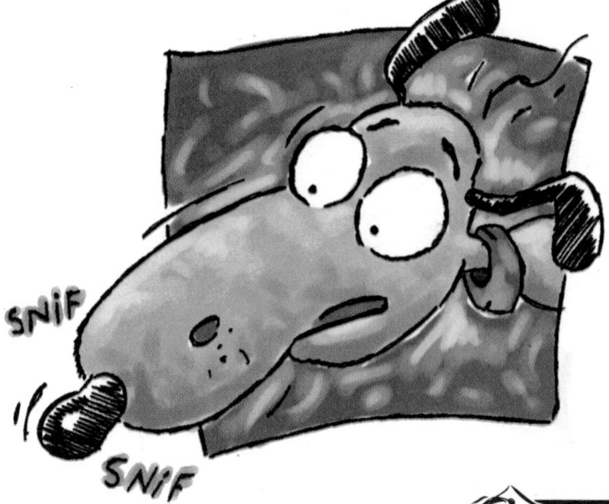

Mon chien se faufile comme une couleuvre entre les herbes. Je le suis, curieux et inquiet à la fois. Maman m'a bien défendu de m'aventurer loin dans la forêt.

Billy relève soudain la tête, excité. Il a repéré quelque chose, c'est sûr !

Je tente de le retenir par son collier. Trop tard. Il détale entre deux gros arbres.

Je le cherche, sans succès. Je m'apprête à le siffler lorsque je le vois revenir. Il se colle à ma jambe, l'air apeuré.

– Qu'as-tu vu ? fais-je tout bas. Un porc-épic ?

J'ai à peine prononcé ces mots que j'entends à nouveau l'étrange bruissement.

Je m'aplatis prudemment contre le sol. Puis je rampe lentement en direction du bruit. Billy me suit craintivement à quelques pas. J'arrive bientôt au bord d'une pente abrupte.

J'écarte les herbes qui m'empêchent de voir. Mes yeux s'agrandissent alors démesurément.

Ils sont une vingtaine, là, en bas de la côte. Et ils sont... et ils sont tout verts !

Chapitre 3

Culbute

J'ouvre bêtement la bouche, étonné et apeuré.

Les bonshommes verts sont plus courts sur pattes que Billy. Et drôlement chevelus.

Des herbes recouvrent leur corps en entier. Ils se confondent presque avec la verdure environnante.

Soudain, une plainte monte de l'assemblée des bonshommes. On dirait... on dirait qu'ils pleurent ! C'était donc ça, le drôle de bruit !

Billy rampe près de moi et écarte la végétation du museau. Dès qu'il aperçoit les créatures vertes, il se met à japper rageusement.

Une vingtaine de têtes broussailleuses se lèvent vers nous. Zut ! Nous sommes découverts !

Je bondis sur mes pieds pour prendre la fuite. Cependant, dans ma hâte, je fais un faux pas. Mon pied patine sur les herbes folles.

Tout à coup, mon espadrille ne rencontre que du vide. Je bascule vers l'arrière. Et je glisse sur la pente... jusqu'au beau milieu de l'étrange assemblée !

Je ferme les yeux, terrifié. Me voilà dans de beaux draps !

Soudain, j'entends des cris effrayés. Je soulève une paupière, surpris.

Les bonshommes verts s'enfuient sur leurs minuscules jambes. Aucun doute possible. Ils ont encore plus peur que moi !

Chapitre 4

L'accusation

Les étranges bonshommes se cachent derrière les arbres. Seules les touffes vertes de leur tête sont visibles.

De la main, je les invite à revenir.

– N'ayez pas peur.

Les bizarres créatures sortent de leur cachette. Une à une. Billy se met aussitôt à aboyer, en haut de la pente.

– Tranquille, Billy. Ce sont des amis.

Les créatures se rassemblent, sans me quitter des yeux. Puis elles commencent toutes à parler en même temps... d'une voix semblable à un gargouillis.

Je saisis quelques mots de leur conversation.

– Il n'a pas l'air méchant, fait l'une d'elles.

– Et s'il détruisait notre maison ? demande une autre.

Je prends la parole.

– Je ne suis pas méchant, je vous assure. Et je ne viens pas non plus briser vos maisons.

Les bonshommes me dévisagent un moment en silence. Puis l'un d'eux s'avance vers moi. Leur chef, sans doute.

– Tu l'as pourtant fait tantôt, dit-il, sévère.

– Mais non...

– Mais si. Toi et ton semblable avez abattu le grand sapin. Et par votre faute, Houclink va mourir maintenant...

Chapitre 5

La fleur de guérison

Je fronce les sourcils.

– Qui est Houclink ? Et pourquoi va-t-il mourir ?

Les bonshommes font cercle autour de moi.

– Houclink est un des nôtres, m'informe le chef. Vous avez coupé l'arbre qu'il habitait. Il est tombé.

Un des bonshommes s'avance timidement et s'agenouille au pied d'un chêne. Je remarque alors une créature semblable à lui, étendue par terre. Elle paraît fort mal en point.

– Je suis désolé, dis-je, sincère. J'ignorais qu'il vivait là-haut... Comment faire pour le soigner ?

– Seule la lobélie cardinale peut le guérir, affirme le chef. C'est une belle fleur rouge qui pousse dans la forêt des Ellandres. À vingt mille pas de Matatoui d'ici.

– Qu'est-ce que les Ma... Matatouis ? dis-je.

– Nous, bien sûr ! réplique le chef avec fierté. Nous sommes les Matatouis, habitants de la forêt du Nord.

Je regarde les pieds minuscules du bonhomme.

– Alors, ça ne peut être bien loin, vingt mille pas.

Le chef soupire.

– Les humains ont coupé trop d'arbres entre les deux forêts. Il nous faudrait circuler à découvert pour y aller. C'est vraiment trop risqué.

Je réfléchis au problème. Mon visage s'illumine au bout d'un moment.

– J'ai une idée !

Chapitre 6

La chute aux lobélies

Je descends la pente qui mène à la clairière des Matatouis.

– J'ai le sac, dis-je. Nous pouvons y aller.

Je me laisse tomber dans l'herbe, tout essoufflé. C'est que j'ai couru ventre à terre depuis la maison.

Germazut, le chef, s'avance vers moi.

– Bittur, Galliante et moi-même allons t'accompagner, Martin.

Je pose mon sac à dos par terre. Les trois bonshommes s'y faufilent aussitôt.

Germazut passe sa tête par l'ouverture et salue l'assemblée des Matatouis.

– Au revoir, mes amis. Nous ramènerons bientôt la lobélie cardinale... Veillez sur Houclink.

J'enfile les bretelles de mon sac à dos. Puis je me mets à courir vers la forêt des Ellandres. Les Matatouis m'indiquent la voie à suivre.

Nous traversons un ruisseau, quelques champs et plusieurs fils barbelés. Puis nous empruntons le chemin des Pieds-Crochus. Et celui des Petites-Terres.

J'enjambe une dernière clôture. La forêt des Ellandres se dresse bientôt devant nous, immense.

Les Matatouis sautent par terre. Nous avançons tous les quatre sous le couvert des épinettes.

– Là, gargouille Bittur, son petit nez retroussé dans le vent. Le ruisseau. La lobélie cardinale n'est pas loin.

Nous pressons le pas. Soudain, nous entendons un clapotement. On dirait de l'eau qui coule sur un rocher.

– La petite chute, s'exclame Galliante, ému. Nous sommes arrivés.

Les Matatouis franchissent une dernière butte, remplis d'espoir. Je les imite. J'ai hâte de contempler la fleur de guérison, moi aussi.

Mes amis s'arrêtent subitement au pied de la cascade. Ils tournent la tête dans toutes les directions. Je sens que quelque chose ne va pas.

Germazut s'agenouille près de l'eau et baisse tristement la tête.

– Il n'y a plus de lobélies cardinales, fait-il gravement. Elles ont toutes été cueillies...

Chapitre 7

Surprise !

Nous quittons la forêt, la mort dans l'âme. Germazut est assis sur mon épaule, la mine basse. Il ne pense même plus à se cacher.

Nous longeons une terre bien entretenue. Puis la maisonnette du fermier.

Tout à coup, le Matatoui étouffe une exclamation de surprise. Je m'immobilise. Juste devant la fenêtre ouverte de la cuisine.

– Qu'y a-t-il, Germazut?

Mais mon ami ne répond pas. Il fixe plutôt un point droit devant lui.

Je suis la direction de son regard.

Un vase trône sur une table, dans la cuisine du fermier. Un vase rempli de fleurs rouges.

– Des... des lobélies cardinales, murmure enfin Germazut, les yeux ronds.

Je me mords la lèvre pour ne pas crier de bonheur. Puis je dépose mon sac à dos et les Matatouis par terre.

– C'est pour une bonne cause ! fais-je en enjambant le rebord de la fenêtre.

Je me laisse glisser dans la cuisine. Soudain, un bruit de pas résonne tout près.

Je me fige, effrayé. Si je me fais prendre, adieu les lobélies... et adieu Houclink.

J'arrête de respirer...

Les pas s'éloignent enfin. Fausse alerte.

Je saisis une poignée de fleurs. Puis je rejoins les Matatouis, dehors. Un cri de joie fuse alors de ma bouche :

– Victoire !

Chapitre 8

Un parfum de vie

J'arrive au ravin, hors d'haleine, mes trois amis accrochés à mon épaule. Je dévale follement la pente, entraîné par mon élan.

Le peuple matatoui est attroupé au pied du chêne. Tous ont la mine basse. Certains gémissent doucement. Ils se balancent sur leurs courtes jambes vertes.

– Nous rapportons des lobélies, annonce Germazut, triomphant.

Pergalith, le plus vieux des Matatouis, secoue la tête tristement.

– Il est trop tard, réplique-t-il. Houclink a cessé de respirer.

Mes amis se laissent tomber à genoux. Moi, je ravale mes larmes à grand-peine. Une boule monte et descend dans ma gorge.

Je m'agenouille à mon tour. Puis je dépose les fleurs sur la poitrine de Houclink. Délicatement.

Est-ce que j'ai la berlue ? On dirait soudain que ses narines bougent. Mais oui. Je ne rêve pas. Le petit Matatoui respire le parfum des fleurs.

Je saisis le bras de Germazut.

– Regarde, dis-je, les yeux mouillés. Houclink. Il a remué.

Les paupières du blessé se soulèvent. Des «oh !» et des «ah !» émus fusent de l'assistance.

Houclink lève la tête. Il s'appuie ensuite sur son coude.

– Eh bien, fait-il. Qu'est-ce que vous avez tous à pleurer ? Il y a quelqu'un de mort ?

Chapitre 9

Mon beau sapin...

– Alors ? demande papa. Tu l'aimes ?

Je fais le tour de ma cabane, en connaisseur.

– Ça oui ! Elle... elle est magnifique.

Papa me tapote la joue, content que je sois content.

– Je vais faire une promenade en forêt, dit-il. Tu viens avec moi ?

Je préférerais profiter un peu de ma cabane. Mais je crains de laisser papa se promener seul. Et s'il découvrait le refuge des Matatouis ?

Nous nous engouffrons dans la forêt du Nord. Billy trottine sagement derrière nous.

Je cherche discrètement mes amis du regard. J'aperçois enfin Bittur, au sommet d'un sapin. Il se confond presque avec les rameaux de l'arbre.

Je lui envoie la main, à l'insu de papa. Billy, lui, aboie joyeusement.

– Qu'a-t-il à japper ? s'informe mon père.

– Oh, rien ! dis-je innocemment. Il a dû voir un écureuil.

Papa se tourne soudain vers l'arbre qu'habite Bittur. Il en fait le tour, songeur. Je retiens mon souffle...

– Il est superbe, ce sapin, apprécie-t-il. Je crois bien que je le couperai en décembre. Ce sera notre arbre de Noël.

J'entends, en haut, une exclamation indignée. Bittur n'est pas d'accord, c'est évident.

– Heu..., fais-je dans un soupir. Et si on achetait un arbre artificiel ?

FIN